HISTOIRES TROLLES

Scénario
CHRISTOPHE ARLESTON
Dessin
JEAN-LOUIS MOURIER
Couleurs
YVES LENCOT

soleil

TETRÄM EST UN TROLL COMME LES AUTRES : BRAILLARD, COUVERT DE POILS ET DE MOUCHES, IL AIME LE VIN DE KLOSTÖRE ET LE PAYSAN FARCI. CE BON PÈRE DE FAMILLE N'A PEUR DE RIEN, SAUF, BIEN ENTENDU, DE L'EAU, COMME TOUS SES CONGÉNÈRES.

FILLE ADOPTIVE DE TETRÄM ET PUTÉPÉE, **WAHA** VOUE UNE GRANDE ADMIRATION À SON P'PA. ELLE SE CONSIDÈRE COMME UNE TROLLE TOUT À FAIT NORMALE, EXCEPTÉ SON LÉGER PROBLÈME DE PILOSITÉ DÉFICIENTE. POURTANT, SA PART HUMAINE EST DOTÉE D'UN POUVOIR MAGIQUE. MAIS UN POUVOIR ALÉATOIRE : ON NE SAIT JAMAIS CE QU'IL VA DÉCLENCHER...

FIDÈLE ET AIMANTE ÉPOUSE DE TETRÄM, **PUTÉPÉE** EST DONC LA MÈRE ADOPTIVE DE WAHA, ET DONC LA MÈRE BIOLOGIQUE DE **GNONDROM**, L'INSÉPARABLE COMPAGNON DE JEUX DE TYNETH.

HAÏGWÉPA EST LE CHEF DES TROLLS DU VILLAGE DE PHALOMPE. LE PROCESSUS ÉLECTORAL ÉTANT ASSEZ SIMPLE, CELA SIGNIFIE QU'IL FRAPPE PLUS FORT QUE LES AUTRES. IL EST LE PAPA DE LA DÉLICIEUSE PETITE **TYNETH**.

DEMI-TROLL ORIGINAIRE D'UN AUTRE VILLAGE, **PRÖFY** EST PROFONDÉMENT AMOUREUX DE WAHA, QUE TETRÄM TROUVE UN PEU JEUNE POUR ÊTRE FIANCÉE. PRÖFY N'EST PAS PARTICULIÈREMENT INTELLIGENT, MAIS CHEZ LES TROLLS, CE DÉTAIL SE VOIT ASSEZ PEU, MASQUÉ PAR LE COURAGE ET LA BRAVOURE.

MÊME SELON LES NORMES TROLLES, POURTANT ASSEZ LAXISTES, **ROKEN** EST VRAIMENT UN IMBÉCILE. MÉCHANT, LÂCHE, PRÊT À LA TRAHISON, IL EST POURTANT LUI AUSSI AMOUREUX DE WAHA, MAIS PRÖFY DÉFEND SES PRÉROGATIVES...

DANS LES MARAIS NON LOIN DU VILLAGE, AU CŒUR DE RUINES ENGLOUTIES, VIT UN **VIEUX SORCIER** TROLL. IL CONFECTIONNE DES COLIFICHETS, DES POTIONS, ET IL PRÉSERVE LE SAVOIR D'UN STYLE DE MAGIE ASSEZ TROLLESQUE. PRIVÉ DE DENTS, IL RÉDUIT LES PROIES EN BOUILLIE AVANT DE LES ASPIRER À LA PAILLE.

VÉNÉRABLE D'ECKMÜL, **RYSTO FLUQUATOLI** EST L'HOMME LE PLUS PUISSANT DE TROY. SON AMBITION POLITIQUE DÉVORANTE ET SON SENS DU DEVOIR EN TANT QUE GOUVERNANT HUMAIN SE HEURTENT SOUVENT À UN MUR DE POILS : LES TROLLS DU VILLAGE DE PHALOMPE SONT DEVENUS SON PIRE CAUCHEMAR...

ECKMÜL...LA VILLE ÉTERNELLE, CITÉ DES ÉRUDITS ET DU VIN PÉTILLANT, CAPITALE DES TERRITOIRES MAGIQUES DE **TROY**...

ICI, SAVANTS ET SAGES DU CONSERVATOIRE ENVOIENT VERS TOUS LES COINS DU PAYS, LE FLUX DE MAGIE QUI PERMET À CHACUN D'UTILISER SON POUVOIR...

ICI, LE VÉNÉRABLE **RYSTA FUQUATOU**, LE PLUS INFLUENT DES MEMBRES DU CONSEIL RESTREINT DU CONSERVATOIRE, DÉCLENCHA CE QUI ALLAIT RESTER DANS L'HISTOIRE SOUS LE NOM DE **GRANDE GUERRE D'EXTERMINATION DES TROLLS**...

QUOI ?!? ENCORE !!!

TOUT COMMENÇA PAR LES DOLÉANCES DU PREMIER MAGISTRAT DE LA VILLE DE KLOSTOPE, LE BOURGMESTRE SOYCHANTRUIT.

IL EST IMPÉRATIF DE RÉTABLIR LA SÉCURITÉ !

HÉLAS, VÉNÉRABLE RYSTA FUQUATOU ! CES TROLLS NE CESSENT D'ATTAQUER LES VOYAGEURS, DE VIOLER NOS TROUPEAUX ET DE DÉVORER NOS FEMMES...

C'EST POURQUOI J'AI PRIS LA LIBERTÉ DE FAIRE APPEL À HAPLIN, LE CÉLÈBRE CHASSEUR DE TROLLS...

VÉNÉRABLE FUQUATOU, LAISSEZ-MOI RÉUNIR QUELQUES HOMMES ET NOUS VOUS DÉBARRASSERONS DE CETTE ENGEANCE.

VOTRE RÉPUTATION EST GRANDE, CHASSEUR HAPLIN.

JE MANGE DU TROLL À CHAQUE REPAS, VÉNÉRABLE FUQUATOU.

ALORS JE VOUS DONNE L'ORDRE DE VOUS RENDRE À KLOSTOPE ET D'EN FAIRE UNE INDIGESTION !

3

IGNORANT TOUT DE LA DÉCISION D'ÉRADICATION DONT IL VENAIT DE FAIRE L'OBJET AU MÊME INSTANT À ECKMÜL, TÉTRÄM, BRAVE TROLL ET PÈRE DE FAMILLE, FAISAIT TRANQUILLEMENT SES COURSES DANS LA FORÊT DE KLOSTOPE...

VEUX-TU, MA RIBAUDE VELUE, ♪ VEUX-TU, GRIMPER LÀ-DESSUS, VEUX-TU... REMUER TON ...

TIENS, TIENS ...

VOILÀ DU MONDE !

AH ! C'EST LE DÉJEUNER QUI ARRIVE.

CES HUMAINS SONT FORMIDABLES ! ON LES ATTAQUE, ON LES DÉVORE, ET IL EN VIENT TOUJOURS D'AUTRES !

MOI JE TE DIS QU'ON AURAIT PAS DÛ PASSER PAR LÀ.

PFFT ! PERSONNE N'OSERAIT AFFRONTER UNE ESCORTE EN ARMES JUSTE POUR VOLER UN CHARGEMENT DE VIN !

PAS MÊME UN TROLL !

DE VIN ?!?

2

4

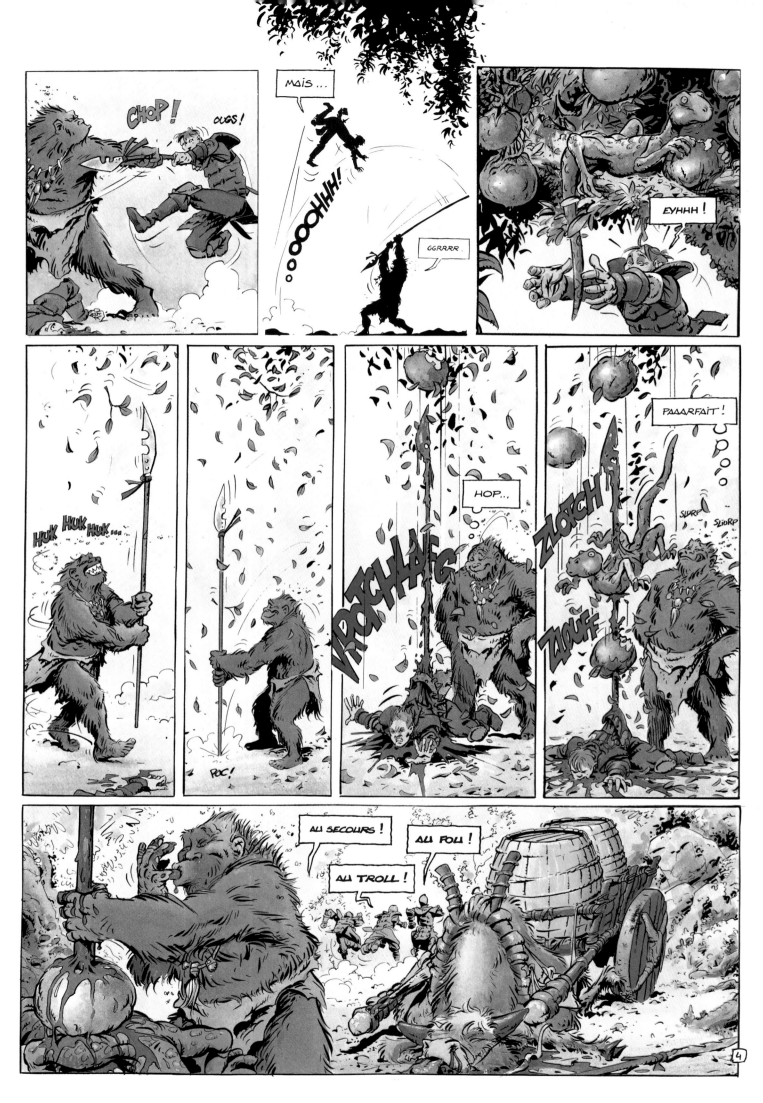

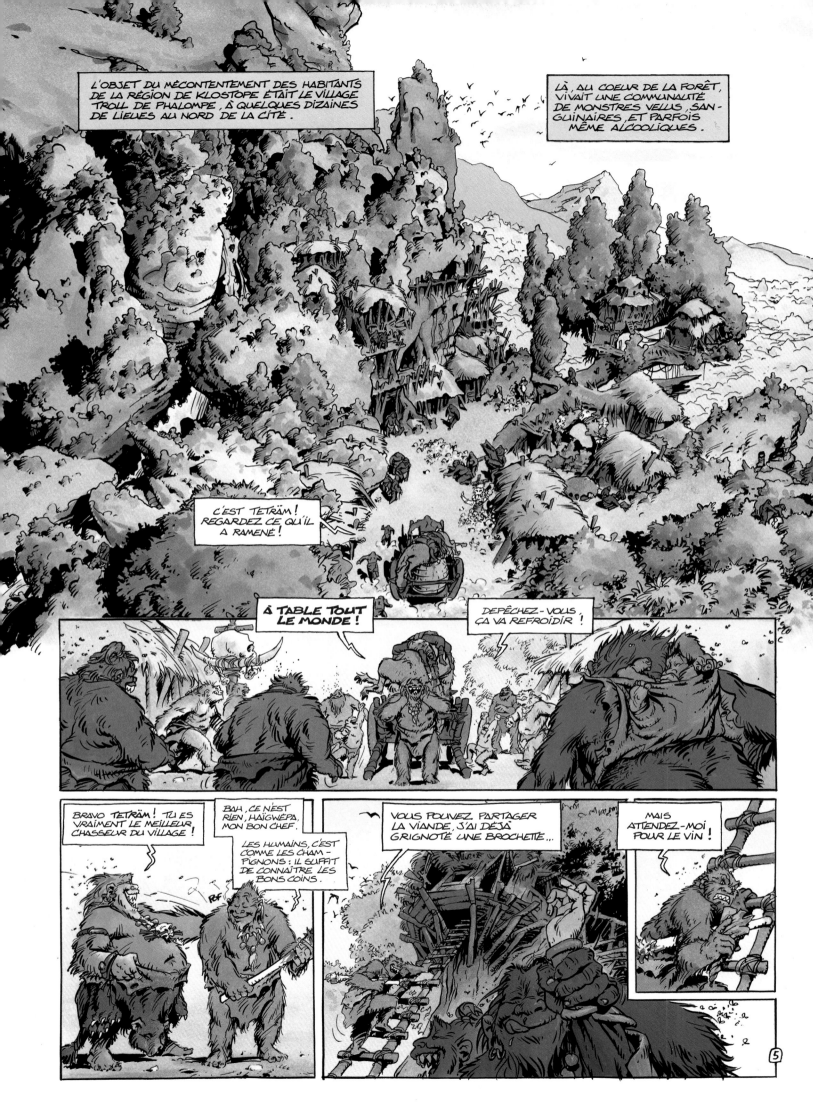

L'OBJET DU MÉCONTENTEMENT DES HABITANTS DE LA RÉGION DE KLOSTOPE ÉTAIT LE VILLAGE TROLL DE PHALOMPE, À QUELQUES DIZAINES DE LIEUES AU NORD DE LA CITÉ.

LÀ, AU CŒUR DE LA FORÊT, VIVAIT UNE COMMUNAUTÉ DE MONSTRES VELUS, SANGUINAIRES, ET PARFOIS MÊME ALCOOLIQUES.

C'EST TETRÄM ! REGARDEZ CE QU'IL A RAMENÉ !

À TABLE TOUT LE MONDE !

DÉPÊCHEZ-VOUS, ÇA VA REFROIDIR !

BRAVO TETRÄM ! TU ES VRAIMENT LE MEILLEUR CHASSEUR DU VILLAGE !

BAH, CE N'EST RIEN, HAÏGWÉPA, MON BON CHEF.

LES HUMAINS, C'EST COMME LES CHAMPIGNONS : IL SUFFIT DE CONNAÎTRE LES BONS COINS.

VOUS POUVEZ PARTAGER LA VIANDE, J'AI DÉJÀ GRIGNOTÉ UNE BROCHETTE...

MAIS ATTENDEZ-MOI POUR LE VIN !

5

7

TÉTRÄM AVAIT UNE ÉPOUSE TENDRE ET AIMANTE, LA DÉLICIEUSE PUITEPÉE, ET DEUX BEAUX REJETONS: WAHA, UNE ENFANT ADOPTÉE, ET LE PETIT GNONDPOM, TROLLILLON HURLEUR.

IIIIINNNNNAÏN!

♪ DO, DO, ♫ LE TROLL DO ♫, LE TROLL RONFLERA ♫ BIENTÔÔÔT...

BONNE CHASSE, TÉTRÄM MON DOUX ÉPOUX?

EXCELLENTE, PUITEPÉE MON AMOUR. J'AI RAMENÉ UN CORNET DE SANG FRAIS POUR LE PETIT.

GOUZI TRILILI POUYA POUYA!

BRRRROUÏÏÏÏÏNNN

IL EST MIGNON QUAND IL HURLE, HEIN?

OUI, ON DIRAIT TA MÈRE.

C'EST POUR QUI LE BON LOLO? POUR MON PETIT GNONDPOM!

SUCK GLOUB GLORP

WAHA N'EST PAS RENTRÉE?

NON, ELLE EST ENCORE À L'ÉCOLE.

AU FAIT, LE PETIT A PERCÉ UNE DENT CE MATIN.

AH BON? À QUI?

EH OUI! PEU DE GENS LE SAVENT, MAIS LES TROLLS AUSSI ONT LEURS ÉCOLES.

À PHALOMPE, FYDELKASS, VIEUX TROLL SAGE, ENSEIGNAIT AUX PLUS JEUNES LES RUDIMENTS DE LA TROLLITUDE...

GRAT GRAT

...ET JE VOUS LE RAPPELLE ENCORE UNE FOIS: NE PARLEZ JAMAIS DEVANT UN HUMAIN!

6

LES HUMAINS DOIVENT NOUS PRENDRE POUR DES ANIMAUX !

DEVANT EUX, GROGNEZ, VOCIFÉREZ, HURLEZ, MAIS PAS DE PHRASES CONSTRUITES !

ON REFAIT UN EXERCICE DE RUGISSEMENTS.

WAHA SUIVAIT LES COURS AVEC ASSIDUITÉ.

GRAOOOAARR
GRRR ! GNN...

C'ÉTAIT UNE ENFANT QUE TÉTRÂM AVAIT ADOPTÉE BIEN DES ANNÉES AUPARAVANT.

GRAOOOAARR !

IL AVAIT DÉVORÉ SES PARENTS ET LEURS MONTURES, ET N'AVAIT PLUS FAIM POUR LE BÉBÉ...

GROAAAAL...

IL LA RAMENA POUR LA FINIR À LA MAISON MAIS PUITEPÉE S'Y ATTACHA...

GRROOAAORR

ALORS ILS L'ÉLEVÈRENT COMME UNE VRAIE PETITE TROLLE.

GROAOOAARA

TRÈS BIEN WAHA ! VRAIMENT IMPRESSIONNANT !

PFF ! ELLE FAYOTE, CETTE SALE PEAU-DE-GLABRE !

QUOI ?!?

ROKEN ! JE VOUS INTERDIS DE VOUS MOQUER DE VOTRE CAMARADE WAHA PARCE QU'ELLE EST DIFFÉRENTE !

ET ON NE DIT PAS UNE "PEAU-DE-GLABRE" ! ON DIT UNE "NON-VELUE" ! OU ENCORE MIEUX : "UNE PERSONNE À LA CAPILLARITÉ CONTRARIÉE" !

WAIIIE !

C'EST ELLE QUI A COMMENCÉ, M'SIEUR, LA CAPILLARITÉ CONTRARIÉE ! ELLE M'A ATTAQUÉ !

GRRAAOOR !

C'EST DIFFÉRENT, C'EST UNE AGRESSION PHYSIQUE.

ÇA C'EST NORMAL.

NOUS SOMMES DES TROLLS, TOUT DE MÊME !

OuiiiNNNN

ALORS, WAHA, CETTE JOURNÉE D'ÉCOLE ?

SUPER P'PA. J'AI BOUFFÉ UNE OREILLE À ROKEN.

LA PROCHAINE FOIS, J'AURAI PEUT-ÊTRE LES DEUX OREILLES, ET...

AINSI ALLAIT LA VIE, PAISIBLE ET INSOUCIANTE, DU VILLAGE TROLL DE PHALOMPE. POURTANT, NON LOIN DE LÀ À KLOSTOPE, CERTAINS S'AP-PRÊTAIENT À FAUTER PLEIN DE TROUBLES...

8

AN-MÜLEUR DE KUSH SUIVIT...

QUEL EST TON POUVOIR ?

MULTIPLIER LES PUCES, LA VER-MINE ET LES MOUCHES, GRAND CHASSEUR HAPLIN.

REGARDEZ...

NON, NON ! INUTILE DE FAIRE UNE DÉMONS-TRATION ICI !

ENGAGÉ.

ET HOP ! ÇA POUSSE ! VOUS POUVEZ REGARDER DANS VOTRE PANTALON, C'EST PAREIL !

SUIVIRENT TROLANNE BEY, QUI POUVAIT FAIRE POUSSER LES POILS JUSQU'À DES LONGUEURS DÉMESURÉES, ET SON FRÈRE, CONVAIR BEY, QUI POUVAIT FAIRE DISPARAÎTRE LES MOUCHES !

JE VOUS CROIS, TROLANNE BEY. ANIVERT, CISEAUX, S'IL VOUS PLAÎT.

MAIS EN CE QUI CONCERNE VOTRE FRÈRE, JE NE VOIS PAS CE QU'ON PEUT FAIRE D'UN TUEUR DE MOUCHES !

MAIS SI !

C'EST TRÈS UTILE ! SANS SES MOUCHES, UN TROLL SE SENT SEUL, DÉSEMPARÉ, TOUT PERDU DANS UN GRAND MONDE CRUEL !

C'EST BON, CONVAIR BEY. MAIS ÉVITE DE TRAVAILLER TROP PRÈS D'AN-MÜLEUR.

CANDIDAT SUIVANT !

EH EH !

MHFF...

LES DERNIÈRES RECRUES FURENT POPE DEUX-CROUTES, QUI POU-VAIT FAIRE RIRE JUSQU'À CE QUE MORT S'EN SUIVE ...

OHOHOH ! ARRÊTEZ, JE VOUS EN SUPPLHIHIHI ! WOUF WOUF WOUF.

POUËT.

ET, REIMOMPE ARE, QUI ENDORMAIT N'IMPORTE QUI EN QUELQUES MOTS.

RÉVEILLEZ-VOUS, HAPLIN ! ON LUI DONNE SA PRIME D'ENGAGEMENT ?

KRRROOOONNFLL

HAPLIN ? HAPLIN !

RRON

⑩

MAIS LE PLUS TERRIFIANT DES POUVOIRS ÉTAIT CELUI D'HAPLIN LUI-MÊME. IL POUVAIT D'UN REGARD METTRE LE FEU À N'IMPORTE QUOI... LORSQU'IL NE DORMAIT PAS.

MGHR ? RÔL ? TRÔL ? **TROLL** ?

HAPLIN ! ON L'ENRÔLE ?

QUOI ?!? UN TROLL ? OÙ ÇA ?!?

AHHHHH !

VITE ! QUELQU'UN SAIT FAIRE PLEU-VOIR ?

NON, MAIS JE PEUX FAIRE PIPI TRÈS FORT.

ALORS FAITES.

POUR PERMETTRE À LA MAGIE DE CHACUN D'ÊTRE EFFICACE, LES CHASSEURS FURENT ACCOMPAGNÉS D'UN SAGE D'ECKMÜL, ANIVERT.

LES ENGAGÉS, SUIVEZ-NOUS À L'INTÉRIEUR.

VOUS ÊTES MAINTENANT LA PHALANGE TUEURS DE TROLLS. VOICI NOTRE EMPLOYEUR, LE BOURG-MESTRE DE KLOSTÖPE.

JE COMPTE SUR VOS TALENTS, MESSIEURS.

MES RESPECTS, PATRON.

AVEC L'AIDE DES SOLDATS DE LA GAR-DE RÉGULIÈRE, NOUS ALLONS APPLIQUER LE PLAN QUE VOICI...

POUR COMMENCER, IL NOUS FAUT UN TROLL VIVANT...

11

13

14

15

19

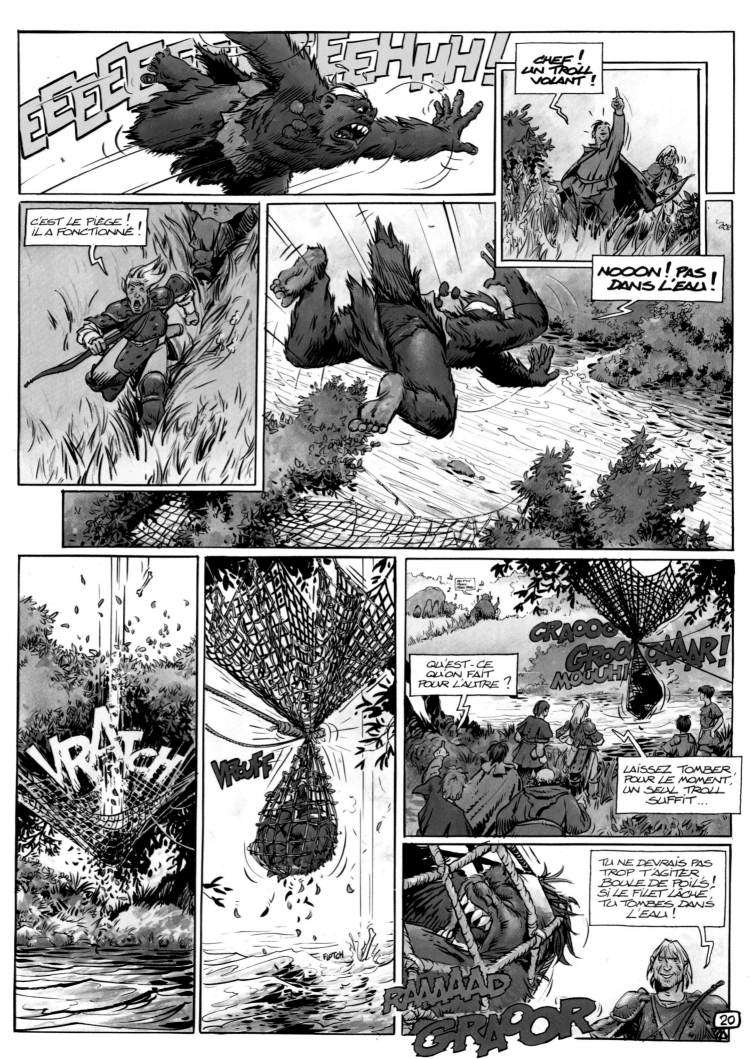

IGNORANT LA CAPTURE ET LE RETOURNEMENT DE ROKEN, TETRÄM ET WAHA S'ENFUIENT À GORGE DÉPLOYÉE...

UN GROS TROLL **TROLL TROLL** ÇA DÉCIME **CIME CIME**

ILS NOUS SUIVENT ?

JE NE CROIS PAS.

ALORS VIENS ME SORTIR DE LÀ ! JE SUIS TOUT EMMÊLÉ !

PFFRRT ! UNE COUPE AU COUTEAU, ÇA TE VA ?

FAIS BIEN ATTENTION. IL Y A DES ENDROITS PLUS SENSIBLES QUE D'AUTRES !

DÉPÊCHE-TOI WAHA ! N'OUBLIE PAS QUE CE SOIR, IL Y A LA CÉRÉMONIE DE LA MOUCHE DE TON AMI ROKEN !

C'EST PAS MON AMI.

TCHAK TCHAK
TCHAK
TCHAK

LA COUTUME EST TRÈS STRICTE : UN TROLL NE DEVIENT UN ADULTE QU'APRÈS L'ARRIVÉE DE SA PREMIÈRE MOUCHE. DÈS QU'UN DE CES INSECTES S'ATTACHE À UN JEUNE TROLL, UNE GRANDE FÊTE EST ORGANISÉE, ET LE VILLAGE CÉLÈBRE L'ÉVÉNEMENT.

D'AILLEURS, LES TROLLS AIMENT TELLEMENT FAIRE LA FÊTE QU'ILS CÉLÈBRENT AUSSI LA DEUXIÈME MOUCHE, LA TROISIÈME, LA QUATRIÈME, ET CHACUNE DES DIX-HUIT SUIVANTES.

TETRÄM ! WAHA !

JE SUIS UN PEU INQUIET : PERSONNE NE SEMBLE AVOIR VU ROKEN DEPUIS CE MATIN !

AH ? ÉTRANGE ...

OUI, HAÏGWEPA MON BON CHEF ?

22

28

CESSEZ LE TIR !

ALORS, CHASSEUR HAPLIN ! OÙ EN ÊTES-VOUS ?

VÉNÉRABLE RYSTA FUQUATOU !

LES AFFAIRES ÉTAIENT CALMES À ECKMÜL. ALORS J'AI EU ENVIE D'ASSISTER À UNE CHASSE AU TROLL.

NOUS EN AVONS EXTERMINÉ UNE PARTIE. MAIS LE PLUS GROS DU VILLAGE S'EST RÉFUGIÉ DANS UN PETIT BASTION INEXPUGNABLE...

NOUS ALLONS LES ASSIÉGER ET LES ÉCOUTER AGONISER LENTEMENT !

EH BIEN...

J'AI UNE MEILLEURE IDÉE.

DEMANDEZ À VOS HOMMES D'ALLUMER CES BRASÉROS D'ENCENS TOUT AUTOUR DE LEUR REFUGE...

EN PRENANT UN PEU DE HAUTEUR CE SERA TRÈS FACILE.

ALERTE !

VOUS ALLEZ LES ENCHANTER ?!! TOUS ENSEMBLE ?!?

QUE SE PASSE-T-IL ?

DEUX D'ENTRE EUX ONT FAIT UNE SORTIE.

YABAHAAAH !

27

JE POURRAIS VOUS TRANSFORMER EN TORCHES VIVANTES MAIS ...

LE VÉNÉRABLE RYSTA FUQUATOU VEUT DES TROLLS VIVANTS...

RENDEZ-VOUS !

WAHA, TU TE SOUVIENS DE CE QUE JE T'AI EXPLIQUÉ ? QUE TU ES UN PEU HUMAINE ET TOUT, ET QUE TU DOIS AVOIR UN POUVOIR MAGIQUE ...

LÀ, IL DEVRAIT MARCHER PUISQUE LES LEURS MARCHENT ...

MAIS COMMENT ON FAIT ? JE NE SAIS MÊME PAS CE QUE C'EST, COMME POUVOIR !

ON A UNE CHANCE SUR MILLE POUR QUE ÇA SOIT UTILE EN CE MOMENT, MAIS C'EST NOTRE SEUL ESPOIR !

BON, JE VAIS ESSAYER ...

POSEZ VOS ARMES, METTEZ-VOUS FACE CONTRE SOL, LES MAINS SUR LA NUQUE ! VOUS AVEZ LE DROIT DE GARDER LE SILENCE !

POUSSE TRÈS FORT AVEC TES YEUX.

GNNNNNHHH

WOH !

FRTZZZZ

EYH !

QU'EST-CE QUE C'EST ?

VRRRROOOOOOUUUUEFFFFFF

CE N'EST QUE DE LA LUMIÈRE ! AVANCEZ !

QUE DE LA LUMIÈRE, PEUT-ÊTRE MAIS ELLE FAIT UN DRÔLE DE BRUIT !

EEHHH ! NOOON !

30

COUREZ !

C'EST... C'EST TOI QUI AS FAIT ÇA ?!?

BEN, J'AI POUSSÉ COMME TU M'AS DIT !

ALORS ON CONNAÎT TON POUVOIR.

TU FAIS TOMBER DES CHAUMIÈRES DANS LA LUMIÈRE.

C'EST TRÈS BIEN, WAHA.

SORTEZ-MOI DE LÀ !

IMMÉDIATEMENT CHASSEUR HAPLIN !

TU DEVRAIS LEUR EN REMETTRE UNE PETITE, HISTOIRE QU'ILS NE PENSENT PAS À NOUS POURSUIVRE.

OUI P'PA.

31

GNNFF ! C'EST FACILE, QUAND ON A PRIS LE COUP !

EYH ! C'EST PLEIN DE FLEURS !

POUF POUF POUF POUF

BEIN... ET LA CHAUMIÈRE QUI TOMBE ?

CHAIS PAS, J'AI POUSSÉ PAREIL !

VOUS DEUX ! JE VOUS RETROUVERAI !

ON FERAIT MIEUX DE SE METTRE À L'ABRI LOIN D'ICI !

ET MON POUVOIR, ALORS ?

JE CROIS QUE TU AS UNE MAGIE SPÉCIALE QUI NE FAIT JAMAIS DEUX FOIS LA MÊME CHOSE !

ET COMME ON NE PEUT PAS PRÉVOIR...

UN POUVOIR-SURPRISE ! C'EST RIGOLO !

VOYONS CE QUE CE SERA CETTE FOIS...

GNNNNNN...

BEN... ÇA NE MARCHE PLUS !

C'EST PAS GRAVE, WAHA. ON DOIT ÊTRE TROP LOIN DE LEUR SAGE D'ECKMÜL. LA MAGIE N'EST PAS RELAYÉE JUSQU'ICI.

32

LE SOLEIL SE LEVAIT SUR UNE AUBE TRAGIQUE POUR LES TROLLS DE PHALOMPE. ENCHANTÉS, AU SERVICE DES HUMAINS, EMMENÉS EN ESCLAVAGE LOIN DE CHEZ EUX, L'ESPOIR LES AVAIT QUITTÉS.

JE CROYAIS QUE NOUS DEVIONS LES TUER ?

LE VÉNÉRABLE RYSTA FUQUATOU A DÉCIDÉ DE TIRER UN PETIT PROFIT DE NOS EXPÉDITIONS. UN TROLL SOUMIS SE VEND CHER, AU MARCHÉ DE CIMAISE !

VOUS SEMBLEZ LE REGRETTER ?

UN BON TROLL EST UN TROLL MORT.

OU MOURANT, À LA LIMITE.

JE VOUDRAIS AUSSI COMPRENDRE POURQUOI UNE HUMAINE A AIDÉ UN TROLL À S'ÉCHAPPER...

COMMENT LES DÉLIVRER ?

IL FAUDRAIT ROMPRE L'ENCHANTEMENT, MAIS POUR ÇA IL EST NÉCESSAIRE DE CONNAÎTRE LES FORMULES DE MAGIE.

IL Y A PEUT-ÊTRE UNE SOLUTION...

33

UN VIEUX TROLL SOLITAIRE VIT DANS LES MARAIS UN PEU PLUS LOIN. IL A ÉTUDIÉ CES CHOSES.

ALORS EN ROUTE ! IL FAUT LE TROUVER ET IL VA NOUS AIDER !

TENEZ BON MES AMIS ! ON VA REVENIR VOUS DÉLIVRER !

WAHA ! SHHHUUIT !

MAIS...

ON LES BOUFFERA OS PAR OS CES SALES TYPES !

VIENS !

LES FUGITIFS ! ILS SONT LÀ-HAUT !

TU AS ENCORE BEAUCOUP À APPRENDRE, WAHA ! UN TROLL DOIT PARFOIS SAVOIR RESTER DISCRET !

ÇA, PERSONNE N'A JAMAIS PENSÉ À ME LE DIRE.

CHASSEUR ! MONTEZ !

IL VAUDRAIT MIEUX ME LAISSER Y ALLER SEUL, VÉNÉRABLE.

SANS UN SAGE, VOUS N'AVEZ PLUS DE POUVOIR, CHASSEUR.

ET PUIS FIFI N'AIME PAS ÊTRE DIRIGÉ PAR UN AUTRE QUE MOI.

ON DÉCOLLE, FIFI !

34

DÈS QUE JE LES VOIS ENTRE LES ARBRES, JE LEUR BALANCE QUELQUE CHOSE !

IL FAUT LES ENTRAÎNER JUSQU'AU MARAIS, DE L'AUTRE CÔTÉ.

J'AI UNE IDÉE BIEN MÉCHANTE POUR NOUS DÉBARRASSER D'EUX...

LES VOILÀ !

EYH ! DES BOURRASQUES DE VENT !

TETRÄM ! ÇA MARCHE !

AVEC ELLE, ON NE SAIT JAMAIS CE QUI VA SE PASSER, ELLE A UN POUVOIR ALÉATOIRE !

DIANTRE !

ENFIN, AUCUN EFFET VISIBLE, CE COUP-CI.

ENCORE UN EFFORT ! NOUS SOMMES PRESQUE AU MARAIS !

LES FRONDAISONS S'ÉLÈVENT ! PASSEZ SOUS LES ARBRES !

36

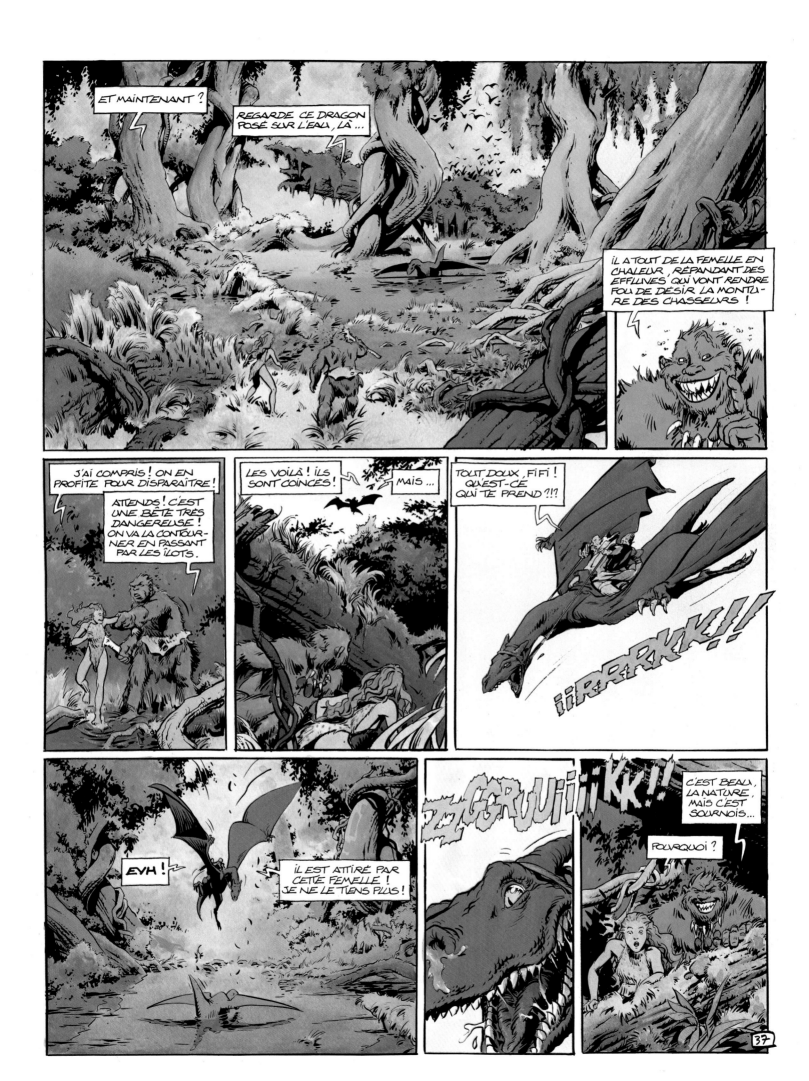

ARRHH !

ZZAFFFF

HRRUIII

GLLLRRRGLL

iIiiRRRRK

ÇA VA, VÉNÉRABLE FUQUATOU ?

MA JAMBE ! ELLE EST TOUCHÉE !

C'EST UN FAUCHEUX - PERFIDE, UN GROS TRUC PLEIN DE DENTS QUI VIT SOUS LE MARAIS.

SON DOS, EN FORME DE DRAGON FEMELLE, ÉMERGE AU-DESSUS DE LA SURFACE. DÈS QU'UN MÂLE S'AP- PROCHE, IL LE HARPONNE ET LE DÉVORE.

PAS BÊTE !

SON CHAMP DE VISION EST LIMITÉ PAR LE MOUVEMENT DE LA TIGE OCULAIRE, MAIS RIEN DE CE QU'IL VOIT NE LUI ÉCHAPPE.

38

ARRH! MA JAMBE! FAITES ATTENTION!

IL NOUS A REPÉRÉS!

VIENS, NE RESTONS PAS ICI.

NOUS SOMMES EN SÉCURITÉ, VÉNÉRABLE.

SORTEZ-MOI DE CETTE MAUDITE FORÊT, HAPLIN!

JE RETROUVERAI CE DAMNÉ TROLL!

CE JOUR-LÀ, TÂCHEZ D'ÊTRE PLUS MALIN QUE LUI.

TETRÄM! ATTENTION!

VLACK!

SALETÉ!

39

YAWARRR!

TETRÄAAM !!

WAHA ! TIENS BON !

NOOON !

VLLAAARGG!

VA TE METTRE À L'ABRI !

VROOTCH !

IL FAUT QUE J'ARRIVE À ATTEINDRE L'ŒIL ...

PAPA ...

POUR UNE FOIS DANS TA VIE, TU VAS REGARDER TON DOS !

GRRR...

40

CRAAAKKK

Y'A COMME UN DRAGON, LÀ !

HRGGGRÏÏÏÏLLLL!!

SHIIIUFF

VLATCH!

INCROYABLE ! IL S'EST TRANSPERCÉ LUI-MÊME !

BOK!

MJAM MJAM.

WAHA ?

41

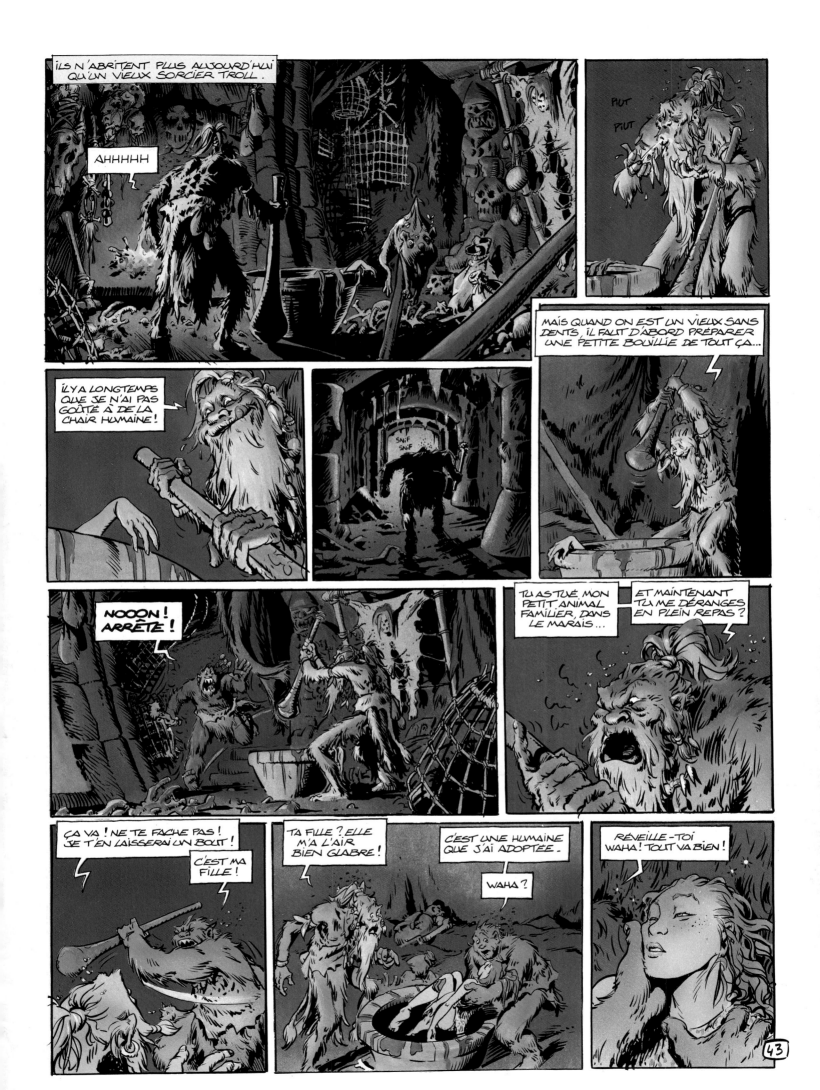

PAPA ? J'AI UN DE CES MALS DE CRÂNE... SI LES TROLLS SE METTENT À ADOPTER DU MANGER, MAINTENANT...

Y'A PLUS QU'À SE CONTENTER DES AMUSE-GUEULES !

SCROUÏÏÏK !

ALORS, QU'EST-CE QUI VOUS AMÈNE ?

VLATCH-VLATCH-VLATCH

LA SITUATION EST GRAVE, SORCIER.

SLARRRUUUURRRRP...

UN GROUPE DE CHASSEURS A EXTERMINÉ LA MOITIÉ DE MON VILLAGE, ET A ENCHANTÉ LES SURVIVANTS.

ÉVIDEMMENT, CE N'EST PAS CHIC. ILS VONT ÊTRE VENDUS COMME ESCLAVES !

TU DOIS NOUS AIDER, SORCIER.

JE PEUX ROMPRE CET ENCHANTEMENT. JE CONNAIS DES FORMULES.

MAIS IL ME FAUDRAIT UNE MÈCHE DE CHEVEUX DE CELUI QUI A LANCÉ LE SORT...

MAIS SURTOUT... IL ME FAUT LE FEU !

J'AI BESOIN DU FEU ORIGINEL, LE FEU DES ANCIENS DIEUX TROLLS...

DU FEU ? CE N'EST PAS TRÈS COMPLIQUÉ ! JE NE PARLE PAS DU FEU ORDINAIRE.

OÙ BRÛLE-T-IL ?

IL ANIME ENCORE LE CŒUR DU VOLCAN SALASTON, SUR UNE ÎLE AU MILIEU DE L'OCÉAN DARSHANIDE.

44

C'EST LOIN ?

DE L'AUTRE CÔTÉ DU MONDE, EXACTEMENT.

NOUS TE RAMÈNERONS CETTE MÈCHE DE CHE-VELIX ET LE FEU ORI-GINEL, SORCIER !

HÉ BÉ !

ON Y VA, TETRÄM ?

TU AS EU RAISON DE LA GARDER. C'EST UNE VRAIE PETITE TROLLE !

OUI. ELLE A UN CARACTÈRE ATROCE.

C'EST AINSI QU'UNE JEUNE HUMAINE ET SON PAPA TROLL FURENT ARRA-CHÉS À LA QUIÉTUDE DE LA VIE SAU-VAGE POUR DEVENIR DES HÉROS DE LEUR PEUPLE ...

IL Y A QUAND MÊME UNE CHOSE EMBÊTANTE, POUR LA MÈCHE DE CHEVEUX ...

OUI, P'PA ?

LEUR GRAND SAGE, CELUI QUI A LANCÉ L'ENCHANTEMENT DEPUIS SON DRAGON ...

45

Des mêmes auteurs

Chez Soleil

Trolls de Troy
Tome 1 : Histoires trolles
Tome 2 : Le Scalp du Vénérable
Tome 3 : Comme un vol de pétaures
Tome 4 : Le Feu occulte
Tome 5 : Les Maléfices de la Thaumaturge
Tome 6 : Trolls dans la brume
Tome 7 : Plume de Sage
Tome 8 : Rock'n Troll Attitude

Encyclopédie Anarchique du Monde de Troy
Volume second : Les Trolls
Volume troisième : Le Bestiaire
(codessinateur Tarquin)

Les Feux d'Askell
Tome 1 : L'Onguent admirable
Tome 2 : Retour à Vocable
Tome 3 : Corail sanglant

De Arleston

Nouvelle Cartographie Illustrée du Monde de Troy
Dessin de Tarquin

Le Chant d'Excalibur
Dessin de Hübsch
4 tomes parus

Élixirs
Dessin de Varanda
1 tome paru

Encyclopédie Anarchique du Monde de Troy
Dessin de Tarquin
Volume prime

Les Forêts d'Opale
Dessin de Pellet
4 tomes parus

Gnomes de Troy
Dessin de Tarquin
1 tome paru

Lanfeust de Troy
Dessin de Tarquin
8 tomes parus

Lanfeust des Étoiles
Dessin de Tarquin
4 tomes parus

Léo Loden
Dessin de Carrère
15 tomes parus

Les Maîtres Cartographes
Dessin de Glaudel
6 tomes parus

Moréa
Dessin de Labrosse
4 tomes parus

© MC PRODUCTIONS / ARLESTON / MOURIER
Soleil Productions
247, avenue de la République
83000 Toulon - France

Bureaux parisiens
25, rue Titon - 75011 Paris - France

Conception et réalisation graphique : Studio Soleil
Lettrage : Guy MATHIAS
Dépôt légal : Juin 1997 - ISBN : 2 - 87764 - 591 - 6

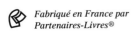

*Fabriqué en France par
Partenaires-Livres®*